W9-DEG-194

만화로 보는 현대판 우리 고전 ⑨

한중록

능인

혜경궁 홍씨가 쓴 〈한중록〉은, 그 당시 궁궐 안의 언어나 풍속을 잘 나타내 주는 궁중 문학입니다.

〈한중록〉은 혜경궁 홍씨의 회고록으로, 태어나서부터 71세에 이르기까지 파란 만장한 삶이 생생하게 쓰여져 있습니다.

어린 나이에 부모와 떨어져 궁궐에서 살게 된 이야기에서부터 사랑하는 남편이 뒤주 속에서 죽어야 했던 이유, 그리고 친정 집안이 여러 가지 모함으로 몰락한 이야기 등이 아주 자세하게 실려 있습니다. 눈물로 얼룩진 자신의 생을 돌아보면서 담담하게 써 내려간 것이 특징이지요.

그러면 〈인현왕후전〉과 함께 조선 시대 궁중 문학의 최고로 손꼽히는 〈한중록〉에서 '비운의 왕비' 혜경궁 홍씨를 만나 보세요.

폭소 잔치!
한중록

차 례

1.세자빈의 간택

영조 11년

히야, 여기가 좋겠군.

나한테 딱 알맞은 집이군.

정말이지 계속 이사 다니는 것도 지겨워!

임금님은 대체 무얼 하시는지…. (쥐에게도 집을 달라.)

목표물을 향해 작전 개시!

으리으리한 창고 속엔 먹을 것도 많겠지. 신난다!

오잉? 아무것도 없잖아. 이거 장난이 아닌데….

이런 또 이사를 잘못 왔어. 오히려 내가 먹을 걸 구해다 주게 생겼군.

참 무능력하게
생겼다. 그러니
창고가 이 모양이지.

흐음, 정말
신기한
일이로다.

간밤에 흑룡이 꿈에
보였으니, 오늘
틀림없이 좋은 일이
생길 거야.

왓 다리

갔 다리

찍
찍

빨리 오지 않고 뭐 하는
게냐?
그렇게 굼떠서야… 쯧쯧.

헉헉헉.

그래 가져왔느냐?
물론 아무도
모르게 했겠지?

헤헤, 그럼요.
제가 누굽니까?
자, 여기
즉석 복권
대령입니다.

아니,
이럴 수가…!

분명 꿈에 용이
나타났는데….
모두 꽝이잖아.
말도 안 돼.

마님, 마님.
저는 1냥짜리
당첨됐는뎁쇼.
히히히.

우째
이런
일이…!

7

고얀 놈 같으니라구. 불난 집에 부채질하느냐?

뻥

냉큼 가서 몇 장 더 사 오너라. 에잇!

아니, 이건 또 무슨 소리야? 누구네 집 애가 이렇게 우는 거야?

응애 응애

근데 정말 이상해. 꿈에 나타난 게 용이 아니라 뱀이었나?

마님, 마님. 경사입니다. 경사!

뭐야? 그렇다면 아까 그 복권이 당첨된 거냐?

그게 아니구요, 안방 마님께서… 이러쿵저러쿵해서 여차저차했다지 뭡니까?

아악, 왜 때려요? 이잉.

슈우우

허허, 그 여자아이는 틀림없이 하늘이 내려 준 게야. (난 기분이 좋으면 때리는 버릇이 있어.)

바로 이 때 태어난 아이가 혜경궁 홍씨였다.

혜경궁 홍씨는 어려서부터 *중모님을 잘 따랐고, 그녀로부터 언문을 배웠다.

무릇

여자에게는 네 가지 덕이 있으니,

*중모 : 작은어머니

부덕(婦德)과 부언(婦言)과 부용(婦容)과 부공(婦功)이라. 이를 풀이하면,

부녀자는 어질고 너그러운 행실과, 지혜로운 말씨를 가져야 하며, 옷맵시는 항상 깨끗하고 단정히 하며, 길쌈과 바느질 솜씨가 좋아야 함을 뜻하옵니다.

또한 여자는 정조를 지키고, 몸가짐을 조심하며,

부모님께 효도하고, 지아비를 잘 섬기며, 자식을 올바른 길로 이끄는 지혜를 지녀야 합니다.

또한··· 종알종알 쫄쫄쫄.

중모님, 다 읽었습니다. 또 새로운 글을 가르쳐 주십시오.

꾸벅

9

중모님, 또 주무십니까?

에구구구, 깜짝이야.

폭하앙

으음. 자… 잘했다. 계속해서 몸과 마음을 닦는 데 힘쓰거라. (기집애, 졸 수도 있지.)

탱

예, 중모님.

대궐

한편 같은 해에 궁궐에서는 장차 혜경궁 홍씨의 남편이 될 경모궁(사도 세자)이 태어났다.

으 아 아 앙

푸하하하! 왕자로구나. 이렇게 기쁜 일이….

하하하,
선희궁 수고했소이다.
효장이 죽은 뒤로 계속
근심했거늘, 당신이
아들을 낳아 주다니….

고맙소,
정말 고맙소.
하하하!

왕세자 탄생 만세!

임금님 만세!

경모궁은 글을 일찍 깨우쳤으며,
백성을 생각하는 마음이 높고
사리 분별에 밝았다.

*팔괘가 새겨진
글자는 안 먹어!
물려라!

와 쟁창

용서하세요.

그러니 수(壽) 자와
복(福) 자가 쓰여 있는
것만 먹고, 나머지는
안 먹어.

*팔괘 : 고대 중궁인들이 사용하던 여덟 가지 괘로,
　　　건·태·이·진·손·감·간·곤을 가리킴

11

그러나 태어난 지 100일 만에, 어머니 선희궁 곁을 떠나 동궁전으로 처소를 옮긴 경모궁은 심한 외로움을 탔다. 게다가 영조를 매우 무서워했다.

화평아, 빨리 나와 노올자아!

안 나오면 쳐들어간다, 쿵짜작 삐약.

볼 일 보고 있으니까 저리 가세요.

으휴, 심심해 죽겠네.

꺄아아악! 나가, 나가라구.

화평아, 우리 술래잡기 할래?

오라버니 제정신이세요? 어떻게 화장실까지 따라옵니까?

으아아앙. 최 상궁, 화평이 나 때렸어. 빨리 가서 혼내 줘잉.

주상 전하 납시오!!

휙! 아…
아바마마께서….
애고, 무써워.

아빠마마!
안녕하시어요?
어서 오셔요.

아이그,
예쁜 내 딸.
이리 와
보거라.

아빠마마!
그 동안 왜 이렇게
안 오셨어요?
보고 싶었습니다.

허허, 미안하게 됐구나.
나라일을 돌보다 보니
그렇게 됐단다.
나도 네가 보고
싶었느니라.

그래,
그 동안 동궁과
사이좋게
지냈느냐?
싸우지는 않고?

한데 동궁은 어찌
보이지 않느냐?
아니, 이런….

도대체 이 무슨 해괴한
일이냐? 장차 이 나라
임금 될 사람이 어찌
바닥에 엎드려 있느냐?

울먹
울먹

14

한 나라를 이끌어 갈 사람이 어찌 그리도 초라하게 군단 말이냐?

으이구, 저렇게 나약해서 어디에 쓴단 말인가?

으아아앙

또 경모궁을 모시는 한 상궁과 최 상궁의 성격이 서로 틀려, 경모궁에게 좋지 않은 영향을 끼쳤다.

최 상궁, 전하가 다녀가신 후 동궁이 기가 죽어 계시니 재미있게 놀아 줍시다.

내 생각엔 좀더 엄격하게 해야 할 것 같소. 그것이 우리의 도리요.

어유, 재수 없어. 꼴에 잘난 척하기는 흥!

호호호, 동궁 마마. 최 상궁이 갔으니 어서 나오셔용.

15

16

영조 19년

비나이다.
비나이다.

아이고!
그 놈의 시험이
뭔지 오나가나
합격 타령
이라니까.

허어, 올 시간이 지났는데
네 아버지는 왜 안
오신단 말이냐?
차가 막히는 건지
또 떨어진 건지…

*당숙 어르신.
아버님께서는 꼭
붙으실 것이옵니다.
소녀와 그러기로
약속하셨습니다.

*당숙 : 아버지의 사촌 형제

저런, 꼴을 보니
붙은 건 아닌가
보구나. 쯧쯧.

서울 대전 대구
부산

술은 또
어디서
그렇게
마신 건가?

헛헛헛!
죄송합니다요.
지가요, 좀
취했습니다.

딸꾹

으휴, 언제쯤이면 정신을 차리려나….

서울 대전 대구 부산

그 해 가을 홍봉한은 의릉 *참봉의 벼슬을 얻게 되었다.

*참봉 : 조선 시대의 종9품 벼슬

우아! 월급 타서 한턱 단단히 내는군.

참봉 어른 덕에 쌀밥을 다 먹어 보겠군.

여보, 이를 어쩌지요? 벌써 창고의 쌀이 다 떨어졌어요.

하하하! 아무렴 어떻소? 집안에 경사가 났는데….

*간택 : 임금·왕자의 배우자를 구하는 일로, 초간택·재간택·삼간택을 거쳐 한 명을 뽑음

그 해 전국에 왕세자의 *간택령이 내려졌다.

여보게, 정신차리게. 가난한 집에서 무슨 *단자를 들이겠다는 건가?

하하하, 난 나라에서 월급을 받는 신하요, 제 딸은 재상의 손녀입니다. 그러니 당연히 단자를 들여야지요.

18

*단자 : 처녀가 있는 집에서 신고를 하는 것

초간택일

어머, 재 좀 봐. 오늘 상궁·무수리 뽑는 줄 아나? 깔깔깔, 호호호.

애, 넌 일찌감치 집에 가라. 그 얼굴로는 어림 반푼어치도 없다구.

불쌍한 것들. 어차피 떨어질 걸 집에 가서 푹 쉬기나 하지.

앙 앙

그렇게 잘난 척하더니만 떨어졌군. 그것 보라지. 고거 쌤통이다.

더도말고 덜도말고 나만큼은 돼야지.

애, 너 눈이 안 좋은 모양이구나. 안경이라도 사서 껴야겠다.

참가 번호 72번 이조 판서 자제분 듭시오.

참가 번호 72번, 신수겸이옵니다.

콩나물 팍팍 무쳤냐? 식초에 무쳤냐? 종알종알.

그래, 어디 한번 시작해 보아라.

다음! 다음! 다음!

콘테스

이토록 인재가 없느냐?

오와앙! 굉장한 아가씨로군.

1070번, 남원 고을 성춘향 듭시오.

오우 예!

대… 대단하도다. 듬직한 체구에 넘치는 건강미.

키도 크고 얼굴도 크구나. 어디 갔다가 이제 왔니? (근데 얼굴은 영 아닌걸.)

아이, 부끄럽습니다.

헤헤헤. 과연 탁월한 선택이옵니다. (돈이면 다 된다니까.)

참가 번호 1274번 의릉 참봉 홍봉한의 자제분이옵니다.

아부지

떨려 죽겠네.

비록 차림새는 볼품 없지만, 비상한 재질이 엿보이는구나. 이 아이도 후보에 넣도록 해라.

합격!

20

얼마 후

꼬끼여!!
(밤.화)

어흠, 부인.
들어가도
되겠소?

예.
어서 들어
오십시오.

이렇게 우리처럼
보잘것 없는 집안의
아이가 후보에
오르다니….

그러게 말입니다.
집안도 가난한데, 차라리
단자를 들이지 말 걸
그랬나 봅니다.

아직 나이도
어리고 부족한
것도 많은데,
흐흐흑…
가엾은 것.

어머님, 아버님.
괜히 저 때문에
마음 고생하시는군요.
훌쩌럭.

들썩 들썩

아가야,
울긴 왜 우느냐?
이런 경사스런
일에…. 어서
눈물을 거두어라.

흑흑, 앞으로 헤쳐
나가야 할 일들이
얼마나 많은데,
이 어린 것이 무엇을
어떻게 해 나갈꼬?

스을

21

삼간택날

흥, 틀림없이 내가 될 거야. 그 동안 쓴 돈이 얼만데…. 호호호.

절대 제가 뽑히지 않게 해 주세요. 부모님께 누를 끼치고 싶지 않고, 감히 그런 자리에 제가 어찌….

자, 발표에 앞서 잠시 오락 시간을 갖고 싶구나.

히히, 보나마나 내 딸이 될 거야. 그토록 아부를 떨었는데, 안 뽑아 준다면 말이 안 되지.

음, 고민이로구나. 과연 누구를 선택해야 좋은 건지….

에, 그러면 오래 기다리신 최종 결과를 발표하겠습니다. 귀를 모아모아!

동궁마마의 세자빈으로는 에~, 안국동 의릉 참봉 자제분이 뽑혔습니다.

오아아앙

22

이 기쁨을 제일 먼저 누구에게 알리고 싶습니까?

흑흑, 고마워요. 미장원 언니와 한복을 빌려 준 영자 언니….

하하하하! 인물도 잘났군. 총명해 보이는 그대가 세자빈이 된 것은, 이 나라 경사로다.

네 아비를 내 신하로 얻고 기뻐하였더니, 네가 바로 그 딸이로구나.

새언니, 축하해요. 자, 선물이에요.

축하합니다. 세자빈 언니.

날 때부터 예사 아이가 아닌 줄 알았어.

잡아라! 빨리 잡아.

서십시오. 옷 치수를 재야 예복을 맞추지요. (에고, 힘들어.)

엉엉, 아니 되옵니다. 어찌 아녀자가 다른 사람 앞에서 옷을 벗겠습니까? 그래선 아니 되옵니다.

여덟 살에 삼간택된 혜경궁 홍씨는, 집으로 오게 되었다.

길을 비켜라!

하하하! 어디 우리 조카딸 얼굴이나 봅시다.

가문의 경사요, 나라의 경사니 이 얼마나 좋은 일인고.

치이, 평소엔 오지도 않더니…

애, 복순아. 너도 부럽지? 양반의 자식으로 태어났더라면….

피이, 그까짓 게 뭐 부럽니? 난 칠득이 너만 있으면 된다니깨.

*증대부 : 촌수가 먼 친척뻘 되는 남자

멀리 양줏골에서 *증대부 어른이 오셨습니다.

아…, 아버님. 그러지 마세요. 존대말을 하시면 불편하옵니다.

소인, 문안 드리옵니다. 세자빈마마, 부디 훌륭한 국모가 되어 주소서.

네…. (이게 벌써 몇 번째야?)

24

궁궐의 법도가 엄격하여
한번 들어가면,
영영 이별인 줄로
알고 있습니다.
부디 몸 건강히
지내십시오.

제 이름은 거울 감 자와
도울 보 자이니 꼭
기억해 주십시오.
(내 늙어 벼슬이나 하나
얻고 죽어야지.)

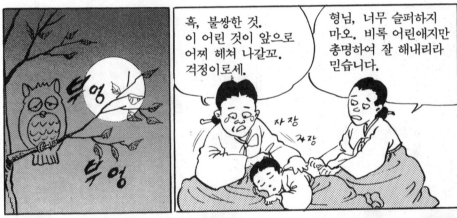

혹, 불쌍한 것.
이 어린 것이 앞으로
어찌 헤쳐 나갈꼬.
걱정이로세.

형님, 너무 슬퍼하지
마오. 비록 어린애지만
총명하여 잘 해내리라
믿습니다.

부엉
부엉

자장
자장

집이 가난하여 고운 옷 한 벌
해 입히지 못했는데,
이제 궁으로 들어가면
언제 다시 보게 될지….
흐흐흑.

앞으로 다시는 평복을
입지 못할 테니,
마지막으로 옷 한 벌을
지어 주어야겠구나.
내 귀여운 아가!

세자빈은 집안 어른들을 찾아다니며 인사를 드렸다.

*당숙모님, 저 왔어요.

오오, 그래. 어서 오너라. 아… 아니지. 어서 오십시오. 오랜만이군요.

*당숙모 : 당숙의 아내

세자빈마마! 어서 안으로 드시지요. 더 예뻐지셨네요.

당숙모님, 그러지 마세요. 불편하다구요.

그래도 이게 법입니다. 어서…. 자, 빨리 들어가세요.

제가 더 어리니, 뜰에서 인사를….

이젠 그렇지 않습니다. 세자빈마마가 되셨으니까요.

그…, 그래도 어떻게 제가…. (세자빈이 좋긴 좋구나.)

하지만 세자빈의 길은 멀고도 험해. 아, 고달파. 앞으로 어쩌지?

모든 분들이 나를 높여 주니, 어찌할 바를 모르겠구나. 내 어머니까지도….

26

어린 것이 벌써 저렇게 크다니…. 훌쩌럭.

팽

그러게 말이오. 내가 업어 주던 게 엊그제 같은데….

저 어린 것을 떠나 보내는 제 부모님의 심정은 오죽이나 하겠소?

달도 차암 밝네요. 휴우~, 이제 내일이면 궁궐로 들어가셔야 하겠지요.

고모, 이제 헤어지면 다시는 보기 힘들겠지요.

이렇게 기쁜 날 울긴 왜 우옵니까? 엉엉! 그나저나 보고 싶으면 어쩌지요?

으아앙. 고모 울지 마셔요. 죽으러 가는 것도 아닌데, 왜 자꾸 그런 말만 합니까?

세자빈은 곧 입궐하여 인사를 올렸다.

호오, 그래그래. 이리 가까이 오너라.

정말 볼수록 아름답고 기품 있어 보이는구나. 나라의 복이로다!

귀여운 것. 내가 며느리 하나는 잘 골랐다니까.

아무렴요, 그렇고말고요.

아이고, 통통한 뺨도 예쁘구나.

세자 어미인 나보다 더 난리네.

아가야, 이리 오너라. 가까이 와서 내게 얼굴을 좀 보여 주어라.

아니다. 내게 오너라. 더 예뻐해 줄게.

아니 왜 싸우고 그래? 애가 놀라서 울잖아.

별궁은 세자빈을 맞이하는 궁전이니, 아무쪼록 편하게 생각하고 잘 지내거라.

그리고 *소학을 보낼 테니, 아버지에게 잘 배우고 들어오너라.

예, 그렇게 하겠사옵니다.

그날밤

*소학 : 중국에서 전해 오는 아동용 교훈서

안 된다는데 왜 자꾸 그러십니까? 어서 집으로 돌아가십시오.

나라의 법이 엄하니, 절대 안 됩니다.

제발 부탁이오. 딱 하루만 같이 있게 해 주시오.

아가야! 엄마 여기 있다.

이러시면 경찰을 부르겠습니다. 아이쿠.

아… 아가야. 부디 잘 지내도록 해라. 알았지?

이튿날부터 혜경궁 홍씨는 영조께서 보내 주신 소학을 아버지께 배우기 시작했다.

또한 선희궁께서 홍봉한에게 진귀한 하사품을 내려 주자, 많은 사람들이 부러워하였다.

이 병풍도 선희궁께서 내린 것이오. 훌륭한 그림이죠?

게다가 저 그림은 내 꿈 속에 나타난 용과 똑같은 것이오.

과연 용꿈은 좋은 것이여.

오호, 그것 참 신기한 일이로군.

궁중에 들어가면, 임금을 비롯한 웃어른을 잘 섬겨야 합니다.

동궁을 섬김에 있어 반드시 옳은 일을 하시도록 돕고, 말씀은 더욱 조심하며, 나라의 복을 닦으소서.

흑흑, 아버님. 명심하겠습니다.

이리하여 영조 20년 정월, 성대한 혼례식을 치렀다.

오늘부터는 동궁과 사이좋게 지내거라. 그래야 백년 해로할 수 있느니라.

만약 동궁이 말을 안 듣고 속상하게 하거든, 즉각 내게 이르도록 하라! 알겠지?

*빈궁마마, 그럼 저희들은 이만…

아버님, 어머님!

*삼전께서 모두 빈궁마마를 사랑하시니, 항상 효도에 힘쓰십시오. 그것이 우리가 드리는 부탁입니다. 흑흑…, 그럼…

*빈궁 : 세자의 아내

*삼전 : 영조·인원 왕후·정성 왕후를 일컫는 말

그리하여 혜경궁 홍씨의 궁중 생활이 시작되었다.

앙 앙 앙

2.미움받는 동궁

매일 아침 혜경궁 홍씨는 삼전께 문안 인사 올리는 것을 소홀히 하지 않았다.

헥헥, 이렇게 힘들어서야….

동궁마마, 어서 일어나십시오. 문안드리러 갈 시간입니다.

아웅~, 아… 알았어.

동궁마마, 제발 일어나소서. 벌써 시간이 많이 지났사옵니다.

얘들아, 안 되겠다. 작전 개시! 1번 궁녀 왼쪽으로, 2번 궁녀 오른쪽!!

에고, 힘들어. 무슨 가발이 이렇게 무거울까? 이러다가 내 머리 비뚤어지는 거 아니야?

큰일났사옵니다. 동궁마마께서 없어졌어요.

뭐... 뭐라고?

계속 문 앞에 있었는데 어디로 사라지셨단 말이냐? (말도 안 돼.)

아이고 가발!

후다닥

어? 이불 밑에 붙어 있는 건 뭐냐?

에그머니! 망측해라.

아무리 어리다고 하지만, 어찌 저리 잠이 많을까? 전생에 불면증으로 죽은 조상이라도 있나?

임무완수!

탁탁

주상 전하께서 화나셨을 겁니다. 어서 서둘러야 합니다.

휴, 걱정된다.

한편 인품이 뛰어난 영조는 올바른 정치를 펴려고 항상 애쓰셨다.

나라가 바로 서려면, 당파 싸움이 없어져야 하느니라.

영조는 당쟁을 가라앉히고, 신문고를 두어 억울한 백성들을 도와 주었다. 그리고 농사를 장려하는 등 안정을 위해 힘썼다.

탕평책
군역법
신문고

이로 인해 나라가 안정되어 태평성대를 이루었다.

임금 만세!

따봉!

파이팅 영조

그러나 영조는 화평 옹주만을 감싸고 편애하여 자식들에게
좋은 아버지가 되지는 못했다.

태양 마마 납시오

옹주야, 하늘에서
내려온 선녀처럼
아름답구나.

에이, 선녀는
구식이에요.

그래. 그렇다면
슈퍼 모델보다
예쁘구나.
이제 됐니?

아이,
좋아라.

여봐라! 이 길을 온통
아름다운 꽃으로 꾸미도록
하라.   무궁화,
진달래,   장미…

그리고 화평 옹주
외에 아무도 다니지
못하게 하라.
하하하.

물론 화협 옹주도 이 길로 다니지 말거라. 또한 다른 사람도 마찬가지니라. 오직 화평 옹주만 다닐 수 있느니라.

흑흑! 왜 저만 미워하시는 건지….

참 이상해. 왜 저러시지? 난 화협 옹주가 더 예쁜데….

아바마마, 그러지 마세요.

쯧쯧, 요즘 애들은 걸핏하면 울어. 저 버르장머리를….

너무해. 흑흑.

같은 시간 뒤뜰

네 놈이 감히 어딜 도망가려고?

흐흐흐, 표적 한 번 확실하구먼. 꼼짝 마라.

덤벼 봐. 난 약 먹은 쥐다.

새로 산 자동 소총이다. 콩알탄 발사! 으하하하.

타잔이 십 원짜리 팬티를 입고, 이십 원짜리 칼을 차고….

게 섰거라. 발사! 야호, 명중이다.

이… 이놈이~! 네 옷 꼴이 그게 뭐냐? 그리고 누가 이 꽃밭을 돌아다니라고 하였더냐?

아… 아빠 아머

에잇, 맛 좀 봐라. 이 버르장머리 없는 말썽꾸러기 같으니라고….

애 애 애 앵

어라? 저건 또 뭐야?

당장 멈추시오.

양양

아동 학대죄로 당신을 체포하겠소. 따라오시오.

여봐라. 게 아무도 없느냐?

그 녀석을 매우 쳐라. 자기가 출연할 곳도 모르다니….

넌 형사물에 나와야 하잖아.

39

이처럼 영조의 편애는 날로 심해졌다.

에이! 오늘도 컨디션이 안 좋다. 당장 동궁을 불러라.

아이고, 오늘은 왜 또 동궁을 찾으시는 걸까?

드디어 아바마마께서 나를 찾으시는군. 참는 자에게 복이 있나니….

어벙 어벙

아바마마! 부르셨습니까?

흠흠.

그래, 불렀다. 밥은 먹었느냐?

예? 아…, 물론 먹긴 먹었습니다만….

그럼 가 보거라. 이제 너를 본 것으로 부정 탈 일이 다 끝났으니,

옷 갈아입고 화평이를 보러 가야지. 룰루루.

더러운 물을 화협 옹주의 뜰로 버리다니…. 대체 왜 화평이만 좋아하는 걸까?

우린 참 불쌍한 오누이야. 그렇지?

화협아, 난 신경 안 써. 나 살기도 바쁜데, 뭐하러 그런 걸 따지냐?

자, 기대하시라. 드디어 명검이 탄생했도다.

멋있다!

이라차차! 내 솜씨를 볼래?

에게게게! 그게 뭐야. 나무 하나 쓰러뜨리지 못하고….

뒤를 잘
보라구.
하하하!

이힉, 대체
이게   뭐야?

아비가
큰 일을
보는데….

감히….
도저히
못 참겠다.

짜샤!

짜샤!

작가의 말

안녕하세요?
독자 여러분.
여러분께 처음
인사드립니다.

재미있게 그리려고 했는데
어떠신지요? 아무쪼록
원작이 많이 훼손됐어도
이해해 주시면 고맙겠습니다.

영조 24년, 영조가 그토록 예뻐하던 화평 옹주가 세상을 뜨고 말았다.

전… 전하! 진정하소서.

으흐흑, 화평이가 없는 세상을 무엇으로 살아간단 말이오? 세상 살 이유가 없소.

정치고 뭐고 다 싫소.

동궁 때문에 부정을 많이 타서 이런 일이 생긴 것이오. 가엾은 옹주….

이젠 나도 조용히 쉬고 싶으니 내버려 두시오.

제발 기운을 차리소서. 전하께서 이러시면 나라가 어찌 되겠습니까?

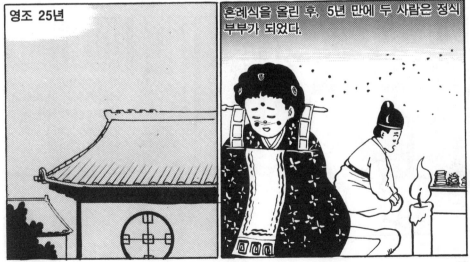

영조 25년

혼례식을 올린 후, 5년 만에 두 사람은 정식 부부가 되었다.

부인, 부디 아들 하나만 낳아 주시오. 그러면 아바마마께서 나를 좋아하실지도….

걱정 마옵소서. 마마. 다 여자 하기 나름입니다.

험험! 동궁마마. 아뢰올….

마마. 급한 일이라서 그만….

누… 누구냐? 무엄하도다.

주상 전하께옵서…. 소근소근.

뭣이? 주상께서 내게 *대리를?

*대리 : 왕을 대신하여 세자가 나라를 돌보게 하는 것

에이, 하필이면 오늘같은 날이람. 오랜만에 한가하게 놀려고 했는데….

어서 가시어 아바마마께 하루빨리 인정받도록 하소서. 전 혼자 있어도 안 무섭습니다.

그러나 영조는 사사건건 동궁을 꾸짖고 나무라기만 했다.

허허, 전에는 중요한 일들을 혼자서 잘 처리하더니 겨우 그만한 일로 쩔쩔매느냐?

당장 집어 치워라.

아바마마. 그…, 그게 아니라….

이놈이 그래도 변명이냐? 당장 물러나지 못할까?

흑흑, 아바마마. 통촉하여 주시옵소서. 소자를 불쌍히 여기시어….

아바마마께서는 왜 항상 내가 하는 일을 모두 못마땅해하실까? 나도 알고 보면 괜찮은 세자인데….

혹시 나를…, 나를 다리 밑에서 주워 온 것은 아닐까? 아니면 내 잘난 외모 탓일까?

특히 영조는 죄수를 다루는 불길한 일에만 동궁을 곁에 있게 했다.

솔직히 말하지 못할까?

전 훔치지 않았습니다. 정말이옵니다.

전하, 경사입니다. 빈궁마마께옵서 득남을….

뭐… 뭣이 빈궁이?

에이, 오늘은 그만 하도록 하자. 하기 싫도다.

아바마마, 왜 화를 내십니까?

참 이상해. 갑자기 왜 저러시지? 빈궁마마께서 득남을 하셨으면 경사 아닌가?

이런 크… 큰일이다. 나 하나도 어려운 판에 아이까지 태어났으니….

수고했소, 빈궁.

응애

뒤를 이을 *세손을 나았으니 장하오.

응애

46

*세손 : 임금의 손자

뭐 하는 짓이오? 선희궁.

아바마마!

죽은 옹주 생각은 조금도 하지 않고 그렇게 기뻐할 수 있소?

흑흑…, 너무하십니다.

그러던 어느 날

거기 두 사람, 꼼짝 마. 거기 서라구.

잠깐 실례. 어디 보자. 요놈!

아바마마.

정말 이 점은 화평이와 똑같군. 모양과 위치까지 너무 똑같아.

47

그러나 그 다음해 아이가 죽고, 혜경궁 홍씨는 다시 둘째 아이를 낳으니 그가 바로 정조였다.

그 해 10월, 온 나라에 홍역이 번지자, 동궁도 홍역을 앓게 되었다.

부디 쾌차하십시오. 동궁마마.

병이 꽤 오래 가는구먼. 가엾은 동궁마마.

동궁께서 저렇게 아픈데도, 전하께선 찾아오시지도 않으니 앞일이 걱정이오.

혹 전하께서 동궁을 외면하시는 날엔….

저들이 먼저 무슨 일을 저지를지도 모르오. 우리도 대책을 마련해야 하오.

우리가 걱정해야 할 것은 저 *노론들의 움직임이오.

그렇게 되면 우리 *소론은 끝입니다. 어떻게 해서든 그건 막아서 합니다.

*노론·소론: 조선 시대 당파의 한 종류

아, 글쎄 이 똑똑한 머리를 가진 날 믿고 따르시오. 그러니까 우리는… 에, 그러니까….

웅성 웅성

떽! 집어쳐요. 우리들 중 아이큐가 가장 낮은 사람이 바로 당신이오. 당신 믿었다간 우리가 망해.

마침내 노론이 움직이기 시작했다.

무슨 일인고?

전하, 홍준해 아뢰옵니다.

전하, 동궁마마를 따뜻하게 감싸 주소서.

전하께서 자꾸만 동궁마마를 멀리하시면, 신하들끼리 큰 싸움이 벌어질 수도 있습니다. 벌써부터 그런 징조들이 나타나고 있습니다.

징조? 그게 무슨 소린고?

아~하! 알았다. 이런 고얀 것.

흐흐흐, 이 정도로 얘길했으니 알아들으셨겠지.

당신이 걱정할 정도면 그 음모 또한 상당히 큰 것이니, 당장 그 놈들을 가려 내시오.

영조는 그 날로 동궁을 *석고 대죄케 했다.

이런 일이 세상에 어디 있을꼬? 이 추운 겨울에 홍역을 앓은 지도 얼마 안 됐는데…

아바마마 저하

동궁, 이제 그만 일어나시게. 쿨룩쿨룩.

제 걱정 마시고 어서 들어가소서.

*석고 대죄 : 거적을 깔고 엎드려 처벌을 기다림

요즘 들어 뿌연 안개 속에 계신 듯, 슬퍼도 슬픈 줄 모르시더니 어떻게 대비께서 여기까지 오셨을까? 주상 전하께 한 말씀이라도 해 주시지 않고…

웬 눈이 이렇게 많이 내리누.

52

반역 음모가 있어 내 *창의궁에 가서 쉴 터인 즉, 어디 나라가 제대로 돌아가나 보자.

심심하면 신경질이야. 으, 피곤해.

전하, 제발 마음을 주소서. (좋은 말할 때 풀어잉!)

*창의궁 : 영조가 예전에 머물던 궁

이제 은퇴해서 난 놀 테니 니들 멋대로 한 번 해 봐라.

큰일이군. 이러지도 저러지도 못하게 됐으니…. (불쌍한 내시 인생.)

전하! 노여움을 푸시고 어서 궁으로 드시지요.

에잉! 도저히 못 참겠다. 대비마마한테도 사표 낸다고 엄살떨어야지.

대비마마, 나라일이 힘들어 슬슬 왕위를 물려줄까 합니다. 괜찮죠?

뭐라고? 전쟁이 났다고? 그럼 피해야지.

53

동궁마마께
왕의 자리를
내주신답니다.
(에고, 내 목.)

응?
동궁을
용서하겠다고?

잘 생각하시었소.
그렇게 하도록
하시오.

노망이 드셨나?
이러면 안
되는데….

전하,
분부 거두소서.
용서하여
주시옵소서.

이제 노여움을
푸시옵소서.

절사 반대

반대! 반대

모든 백성들의 마음은
잘 알겠으나, 이미
나는 왕위를 물려주기로
결정했노라.

전하 없는 궁궐은
오아시스 없는
사막입니다.

낄낄, 내 능력을
알아 주니 기분은
좋군. 이쯤해서
그만 궁궐로
돌아갈까?

근데
이게 무슨
소리야?

동궁마마,
아니 되옵니다.
이러지 마옵소서.

쾅 쾅 쾅

무슨
일이냐?

동궁마마께서
전하가 명령을 거둘
때까지 이마를 벽에
찍어 피를 내고
있습니다. 그토록
효심이….

으이구,
하는 짓도
멍청하다니까.

저런 놈에게 왕위를
넘길 순 없다.
내 다시 궁으로
돌아갈 것이니,
채비를 서둘도록 하라.

이후 영조는 2품 이상을 모두 귀양 보내고,
소론파인 영의정 이종성도
파직시켰다.

에고에고, 내가
망령이 나서
나라일을 망쳤구나.
엉엉.

이 일이 있은 후로, 동궁은 천둥만 치면
발작을 일으켰다.

우르르릉

콰광

으아아악!
저리 가.
가란 말이야.

마마!
무슨 일이옵니까?
진정하옵소서.

귀신이다, 귀신!
저… 저기 귀…
신이….

어디에 뭐가 있다고
그러십니까?
오늘은 천둥도
치지 않았는데….

아니오!
지금
천둥이
치고 있잖소.
저기에
귀신이….

제발 진정하세요.
날씨가 약간
흐렸을 뿐입니다.

으아악!
흡혈귀?

56

사람 살려!
서양 귀신까지
나타났다.

마마.
에구구.

불쌍하신 마마.
그 놈의 책이 웬수로다.
귀신을 부리신다고
밤낮으로 읽으시더니
저렇게….

얼굴도
핼쑥해지시고,
예전의 품위도
잃으시고….

요새는 통 공부도
하지 않으시고,
참으로
답답하구나.

흐흐흐,
빈궁….
어딨소, 빈궁.

에그머니나!
악! 피….

어찌 이러십니까?
선희궁께선 앓아
누으셨습니다.

가 보셔
야죠.

어마
마마께서?

동궁은 곧 선희궁에게로 갔다.

어머, 오라버니. 어서 오시어요. 그렇지 않아도 사람을 보내려던 참이었습니다.

오, 화완아. 어마마마께선 좀 어떠시냐?

어마마마, 소자 문병 왔습니다.

오오, 잘 왔다. 내 아들아, 걱정돼서 왔느냐?

콜록 콜록

이렇게 모두들 내 걱정을 해 주니 금방이라도 일어날 수 있을 것 같구나. 참으로 기특한지고….

콜록 콜록

몸도 편치 않으신데 어서 누워 계십시오. 보기 안쓰럽습니다.

저토록 깊은 효심은 처음 본다.

어흠

58

너무해. 내가 하는 일은 뭐든 틀리다고 역정만 내시고….

잘생긴 것도 죄가 됩니까?

동궁은 정말 죽고 싶은 심정이었다.

마마께서 어디로 사라지신 걸까? 이 근처에 계실 텐데….

어머나, 마마. 거기서 무얼 하고 계신 겁니까? 누가 보면 어쩌시려고….

응, 자기 왔어? 여기 되게 따뜻하고 편해. 이리 와 봐. 같이 노올자아~.

제발 부탁드리옵니다. 이러지 마십시오. 아바마마께서 아시면 또 혼나십니다.

어차피 잘 해도 혼나는데 아무려면 어때? 안 그래, 자기야? 실컷 노는 게 최고야.

그럴수록 몸조심하셔야지요. 얼굴이며 옷이 엉망입니다.

어서 가서 깨끗이 씻고 갈아입으셔야 합니다.

아이고, 낑낑~.

먼저 가. 나는 여기 있을래. (나 일으키면 용치?)

나비야, 나비야 ♬ 이리 날아오너라 ♪

야! 니가 뭘 안다고 그래? 내가 먹었다는데 무슨 상관이야? 저리 가!

이… 이런 감히 누구 앞에서 큰 소리를 치는 게냐?

예, 저는… 그게 아니오라….

개나 말도 어른 앞에서는 큰 소리를 내지 않는 법인데, 내 앞에서 네가 소리를 질러?

아바마마! 그게….

듣기 싫다. 동궁에게 술을 판 사람을 즉시 찾아내 귀양 보내도록 하라.

아바마마, 흑흑.

이렇게 억울하고 원통한 일이 세상에 또 있을까?

술은 입에도 대지 않았는데, 냄새가 난다고 억지를 쓰시다니…. 우째 내게 이런 일이….

마마, 소인
원인손이옵니다.
노여움을 푸십시오.

당장 물러가거라. 내가 이렇게 억울하게
당했는데, 너희들은 어찌
모른 체한단 말이냐?

썩 물러가라는데
무엇 하는 게냐?

아앗
불… 불이다!

마마,
피하소서.

불이야! 사람 살려.
어서 119에
신고해.

동궁은 그 날 이후 더욱더 이상해지기 시작했다.
모든 일에 의욕을 잃고, 삶을 포기했다.

그러던 중 영조를 모시고 명릉에 다녀온 뒤로는
좀 나아지는 듯했다.

그러나 정성 왕후와 인원 왕후의 병세는, 점점 더 깊어만 갔다.

어마마마, 제발 빨리 나으셔요. 흑흑흑.

야, 나 아직 안 죽었어. 그만 울어.

친어머니도 아닌데 저렇게 지극하게 보살피다니….

엉 엉

어험, 몸은 좀 어떠시오?

아! 아바마마 드시옵니까?

흑 다 다

쟨 또 왜 저래? 누가 저더러 인사하라고 했나?

오, 화완아. 네 신랑은 좀 어떠냐? 위독하다던데….

간밤에 두 분이서 한바탕 부부 싸움을 하셨나? 왜 아는 체도 안 하시고 저러지? 휴우, 산 너머 산이로군.

많이 좋아지고 있습니다. 아바마마.

덜 덜 덜

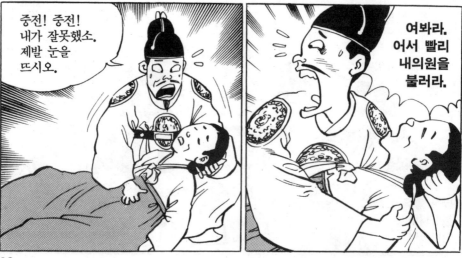

이렇게 정성 왕후가 승하한 후, 인원 왕후께서도 곧 승하하셨다.

3.빈궁의 슬픔

동궁마마께서는 여전히 저러시니, 궁궐 안 모습이 말이 아니로구나.

이 나라의 어머니인 중전께서도 돌아가시고,

마마, 동궁마마께서 내관들을 데려다가 매우 심하게 때리고 계시다 합니다.

말채찍으로 마구 때려 뜰이 온통 피투성이가 되었답니다.

그래 거기서
말리는 사람이
아무도 없단 말이냐?

그렇잖아도 늙은 내시
하나가 말리려다
그만 변을….
흐흐흑.

큰일이로구나.
전하께서 아시면
호되게 꾸지람을
하실 텐데….

으하하핫!
세상에 날
당할 자
그 누구냐?

거기 누구냐?
게 섰거라.

넌 무슨 일로
내 주변을
얼씬거리느냐?

아이쿠
아얏!

이제 죽었구나.
하필 이 곳에 있을 게
뭐람. 눈을 보니
당장이라도….

네 이놈, 바른 대로
말해. 누가 널 내게로
보냈느냐?

보내다니오?
그렇지 않습니다.
소인은 단지 이 곳을
그냥 지나가려던
참이었습니다.

닥치거라!
날 속이려
하다니….

바른 대로 말했으면
목숨은 살려 줄 수도
있었는데….
끝까지 거짓말을 해?

마마, 지금 빈궁마마께서 드시옵니다.

빈궁, 아니 무슨 일이 있었소? 안색이 좋지 않소.

동궁께 옵서…

흐흐흑, 차마 이 일을 어찌 아뢰야 좋을지 모르겠습니다.

빈궁, 대체 무슨 일이기에 그러시오? 어려워 말고 얘기해 보시오.

실은…, 동궁마마께서 내관의 목을 베어 여러 사람들에게 보이고, 궁녀들도 여럿 죽였다 합니다. 이를 어찌하면 좋습니까?

설마… 그런 일이…. 흐흐흑, 내가 어서 죽어 이런 일을 듣지 않았으면 좋겠소.

그 때 영조는 병상에 누워 있었다.

드디어 일이 터진 것 같네. 쯧쯧.

주상 전하께서 동궁마마의 일을 아시면, 아마 그냥 계시지 않을 걸세.

내 이제 동궁에게 왕위를 물려 주어야 할 때가 온 것 같소.

황공하오나 동궁께옵서는 여전히….

허허, 내 팔자가 몹시 기구하구나. 늙고 병들어 나라를 돌볼 수도 없는데,

너무 심려하지 마옵소서. 전하.

자식 하나 있는 게 저렇게 속을 썩이니 어쩌하면 좋단 말인가!

아비가 이렇게 누워 있는데도 얼굴 한 번 안 내밀다니…. 천하에 몹쓸 놈이로다.

병이옵니다. 그렇지 않고서 어찌 저렇게 해괴한 일을….

남자가 저렇게 입이 싸서야….

동궁이 무슨 해괴한 일을 하고 다닌단 말이오? 아는 대로 말해 보시오.

영조는 문득 후궁 문숙의 말을 떠올렸다.

마마. 소문 들으셨습니까?

소문? 무슨 소문?

글쎄 어느 날, 검정개가 동궁전 앞을 지나는데 동궁께서 칼로 위협하면서 이 늙은 개야 하고 소리쳤대요.

그리고는 늙은 건 뭐든 없애야 한다고 했다지 뭡니까?

뭣이? 늙은 건 모두 없애? (그럼 나도?)

75

자, 어서 사실대로 남김없이 말해 보시오.

저, 그… 그게….

뭐야? 동궁이!

그 말이 사실이렷다? 내 이놈을….

저 신하가 뭐라 하였기에 저렇게 화를 내실까?

그래, 결심했어. 네 놈이 계속 그렇게 나온다면 나도 어쩔 수 없어.

눈에는 눈, 이에는 이. 어디 한번 두고 보자. 애비를 뭘로 보는 거야?

76

선희궁, 내가 새로 장가를 드는 것에 대해 어떻게 생각하시오?

중전의 자리가 빈 지도 꽤 됐으니, 그래도 되겠죠?

그리하여 정성 왕후의 삼년상을 마치고, 15세의 중전을 새로 맞이하게 되었다.

이거 너무 심한 거 아니야?

나이를 생각해야지. 참 세상 요지경이로다. 망신스러워.

동궁께선 이 일을 어찌 생각하고 계십니까?

보나마나 또 단단히 벼르고 계실 거요.

새 중전께서 왕자라도 낳는 날엔, 동궁이 또 이상한 짓을 할 거요.

아, 글쎄 엊그저껜 옷을 몇 궤짝이나 불태웠다는군.

77

헤헤, 그게 아니옵고 요즘 빈궁마마 심기가 안 좋아 모여 웃기려고….

그래서 소인이 살짝 죠크 한 번 해 본 겁니다.

빈궁마마께서도 동궁마마께 죠크를 해 보시지요?

옳아, 그거 좋겠군. 내 기억해 두겠소. (달달 볶다?)

영조는 동궁의 생일을 맞이하여 다시 대리시켰다.

이야, 눈이 엄청나게 쌓였군. 오늘이 내 생일인 걸 하늘도 안 모양이지.

한데 하필이면 오늘 대리를 하라고 하실 게 뭐람. 괜히 실수했다가 또 꾸지람만 배부르게 먹을 텐데….

걱정 마시오.
내 다녀오리다.

얼마 후

벌써 오십니까?
한데 안색이 안
좋으십니다.

닥쳐!
시끄러.

고정하십시오.
화를 내시니까 꼭
머리에 뿔이 두 개 달린
괴물 같습니다.
(어유, 무서라.)

으,
끓는다.
끓어.

뭐야? 불난 데
부채질하는 거냐?
내가 괴물 같다고?

그렇게 버럭 화를 내실 땐
정말 ET처럼 주름살이
쭈글쭈글 잡힌다구요.
(애고, 농담하기 힘들다.)

나 참, 그러는 네 얼굴은
스스로 예쁘다고 생각하느냐?

주제를 알아야지.
감히 내 얼굴을
괴물에 비교하다니
자존심 상해.

80

사실은 농담으로 기분을 풀어 드리려고 한 건데….

농담도 농담 나름이지. 외모에 민감한 내게 그런 농담을 하다니….

아이고, 서러워 못 살겠다. 생일날 아버님께 꾸중 듣고, 마누라한테 모욕까지 당했으니, 내가 누굴 믿고 산단 말이냐?

흐흐흑, 서럽도다.

해피 벌스 데이, 파파. 아바마마, 생신을 축하드립니다.

아이고, 분위기 파악 좀 하지 않고….

생일이고 뭐고 다 필요 없다. 다 나가.

으아앙

이제 너희들까지도 이 아비의 말이 말 같지도 않느냐? 썩 나가라는데….

애고,
나 죽는다.

아이고,
이젠 제 어미도 몰라보고
내치다니….
내 아들 돌리도 물리도!

이처럼 동궁의 병세는
날로 심해져 갔다.

얼마 후 동궁은 영조의
총애를 받고 있는 누이
화완 옹주를 불렀다.

난 더 이상 아바마마와
한 대궐에서 살 수가 없다.
울화통이 치밀고 갑갑해서
내 명대로 못 살 것 같으니,

아바마마께 아뢰어
네 재주껏 윗대궐로
모시고 가거라.
제발 부탁이다.
알았지?

오라버니,
힘써
볼게요.

곧 화완 옹주의 애원으로 영조는, 처소를 윗대궐로 옮겼다.

사랑하는 동생 화완아,
이 오라비 부탁 하나만
더 들어 줄래?

오라버니, 왜 자꾸 저를
괴롭히십니까? 지난번에도
어렵게 들어
드렸잖습니까?

에그머니나

뭐가 어쩌고 어째?
화완아, 이 칼이
보이느냐?

잔

어머머, 청을 거절했다간
정말 날 죽일지도 몰라.
어쩌지? 신이시여, 왜
제게 저런 오빠를
주셨습니까? 흐흐흑.

흐흑, 난 정말
이 대궐이 싫도다.

아바마마께 아뢰어서,
나를 온양으로 가게
해 다오.

흑흑,
그저 내가
죽어야지.

알…
알겠습니다.

이리하여 온양으로 가게 된 동궁은, 백성들에게 한결같이 덕을 베푸니
온양 백성들 모두 그를 찬양하였다.

그러나 영조는 온양에서 돌아온 동궁
대신 세손에게 나라일을
맡기기로 하였다.

대신들 모두 들으시오.
이제부터 나라의 중대한
일은 모두 세손에게
맡기려 하오.

한편 동궁은 *사관을 시켜 *연중에서 하는 대화를 기록한 책을 가져오게 하였다.

씩씩, 어찌 이럴 수가…. 대체 이유가 뭐냔 말이야? 왜 모두 내 잘못만 가지고 회의를 하느냐구?

그렇지. 한 대 때리고! 옆으로!

*사관 : 역사에 대한 사항을 쓰는 관리   *연중 : 임금과 신하가 마주하는 자리

나를 빼놓고 이럴 수가…. 어린애가 무얼 안다고…. 이건 분명 나와 내 아들 사이를 갈라 놓으려는 속셈이야.

궁중회의록

야야, 빨리 가서 다음 책 가져와. (나 건들지 마. 열 받은 상태니까.)

음냐음냐. 그래서… 축구왕 숫돌이는….

콜콜

뻥 차니까… 골인!! 음냐음냐, 패스 패스♬ 파이팅, 숫돌아.

웬 숫돌이? 맞고 가져올터?

그래서… 축구공으로 때리니까…. 아야야.

빨리 가서 가져오지 못해? 너 해고해 버린다.

어머나, 이를 어째? 큰일이네.

86

엥? 이상하다. 여기엔 세손을 칭찬하는 대목이 없잖아.

쯧쯧.

이 두꺼운 책에 단 한 군데도 없도다. 이것 좀 봐라. 낄낄낄.

그렇습니다. 마마께옵서 너무 예민하신 것이옵니다. (예민한 게 아니라 멍청한 거지.)

동궁마마처럼 훌륭한 분을 두고 어찌 세손만 위하시겠습니까? 다 좋은 게 좋은 거 아닙니까?

캬! 기분 좋다. 궐 밖으로 나가 술이나 한잔 하러 가자.

애고고, 내가 너무 비행기를 태워 줬나?

동궁마마, 팔을 이쪽으로 넣으셔야죠. 거기가 아니라니까요. 참 어린애도 아니고….

뭐야, 어린애? 말 다 했냐? 그렇지 않아도 손이 근질근질 했는데 잘 됐다.

그게 아니라 전 단지…, 어린애처럼 귀엽다고….

뭐야? 그럼 내가 마마보이란 말이야?

에잇, 맛 좀 봐라. 태권도로 갈고 닦은 솜씨를….

오늘은 힘을 좀 썼으니, 가까운 곳으로 산책이나 갈까?

으으, 무시무시해. 언제 저런 일을 당할지 두려워.

큰일이옵니다. 동궁마마께서 또 외출을!

도대체 어딜 간다고 하시더냐? (으이그, 하루도 조용한 날이 없다니까.)

아바마마께서 아시면 또 불벼락이 떨어질 텐데…. 이를 어… 어찌하면 좋을꼬.

89

한 달 뒤 동궁은 많은 기생들을 데리고 궁궐로 돌아왔다.

어머머, 궁궐이 이렇게 넓은 줄 몰랐사옵니다.

오래 살고 볼일이야. 내가 궁궐을 다 와 보고…. 여기 눌러 살까?

앤 주책이야. 나라면 모를까 넌 곤란하지. 안 그래?

젊은 오빠, 너무 멋있는 거 있지?

그래그래. 어서들 가자!

여보, 오랜만이야.

마마!!

하하하, 그 동안 잘 지냈소? 아바마마께선 당연히 모르시겠지?

그야 그렇지만, 이게 대체 웬 난리입니까?

너 정말 너무하는구나.
너만은 나를 이해해 주리라
믿었는데…. 믿는 도끼에
손등을 찍히다니….

오…
오라버니!

오라버니, 왜
이러세요?
풀어 달라니까요.

푸, 하, 하!
속았지? 이젠
네가 술래야.

자,
나 잡아 봐.

오라버니, 제발…
풀어 주세요.
(가엾은 오라버니.)

짝짝짝!
너무너무
재밌다.

한편 중전 자리에 새로 오른 정순 왕후의 친정 쪽에서는,
커다란 음모를 꾸미고 있었다.

으음, 조카가
중전 자리에
올랐으니 이제
우리 세상이다.

빈궁마마의
아버지는 벌써
영의정이 됐으니,
우리도 슬슬
시작해 봅시다.

쳇, 왕비의 친정이
빈궁의 친정에
뒤질 수는 없지.
안 그러냐? 귀주야?

지당하신
말씀입니다.
당숙 어른.

동궁은 필시 쫓겨나고
말 테니, 그 아들 역시
온전치 못할 것입니다.

그러니 우리 중전마마가
아들만 낳아 주면,
그 때야말로
우리 세상입죠.

그게 안 된다면
양자라도 들여서
반드시 왕위에
앉혀야 한다.

정순 왕후의 오빠인 김귀주는 그 동안 동궁의 행실을 글로 써서 영조에게 올렸다.

이… 이런 이게 어찌된 일이냐?

세자가 한 달 반씩이나 궁궐을 비우다니…?

글쎄 저도 잘… 모르겠습니다.

영의정, 자네가 나한테 이럴 수 있나?

이런 일을 내게 알리지 않다니…. 지금 당장 동궁전 내관들을 처벌하라.

누가 일렀지?

내 당장 이놈을 만나러 갈 터이니, 모든 준비를 하여라. 날 속이기까지 하다니 더 이상 용서하지 않으리.

씩

씩

95

드디어 올 것이 왔구나. 에라, 나도 모르겠다. 이런 일이 어디 한두 번 있었나?

동궁마마, 분부대로 칼과 창을 모두 숨겼습니다. 또 무얼 숨길까요?

혼적도 없이 잘 숨겼느냐?

여부가 있겠습니까? (아이고, 내 팔자야.)

이번엔 괜히 불길한 기분이 들어. 홀찌럭. 어쩌지?

틀림없이 나를 내쫓고 내 아들도 효장 세자의 양자로 삼을 거야.

그렇게 심한 일이?

누구 놀리는 거야? 난 심각 하다구.

씨이, 괜히 나한테 화풀이야.

나도 더 이상은 참을 수 없어. 나도 지긋지긋해. 아예 오늘 단판을 짓지 뭐.

그러나 그 날 영조는 화완 옹주와 영의정 홍봉한의 만류로 거동을 하지 않으셨다.

으아아아아!

일단 위기는 모면했군.

동궁은 그 때부터 땅을 파서 은신처를 마련하고, 온갖 무기를 모아 두었다.

이젠 아무도 방해하지 못하겠지? 호호호.

이제 멋있는 검으로 무술을 배워야지. 홍콩 배우를 능가하는 무술을….

이랴차! 흠, 정말 훌륭하군.

이얍! 얍얍.

쯧쯧, 날도 더운데 왜 저런댜.

매일 땅 속에서 계시니 머리가 이상해질 만도 하지. 한데 혹 주상 전하를 해치려는 건…

들리는 얘기로는 매일 어떤 칼로 죽일까 라고 중얼거린다며?

주상 전하가 다니는 길목에 구덩이까지 팠다고 하더군.

근데 무슨 소리지?

으~아~악. 저… 저게 뭐야?

으악. 사람 살류.

히야, 재밌다. 또 사람들 없나?

*청지기 나경언이 이러한 동궁의 행실을 상세히 적어 상소를 올렸다.

내가 경언이야.

*청지기 : 양반집에서 여러 가지 시중을 드는 사람

영조는 동궁의 기이한 행실이 낱낱이 적힌 상소를 읽고 불같이 화를 냈다.

심하다 심해. 기가 막혀 말을 할 수가 없도다. 우째 이런다냐?

이젠 못 참아. 당장 동궁을 잡아 내 앞에 무릎 꿇게 하라. 빨리!!

네 이놈! 어떻게 네가 나한테 이럴 수 있니? 씩씩.

아바… 마마. 그게…. (어떻게 알았지?)

네 죄를 진정 네가 알렸다? 정사를 제쳐 두고 궐 밖을 나다니고, 칼과 검을 모으다니 네가 제정신이냐? 그것이 모두 날 죽이려는 음모라며?

심지어 바깥 여자들을 마구 데리고 들어와 술래잡기까지 했다는 것이 사실이냐? 도대체 네가 부족한 것이 뭐가 있어, 그토록 반항을 하느냐?

억울하옵니다. 아바마마, 그게 아니라….

이놈아, 세상 사람들이 모두 다 아는 사실을 부인하려 드느냐?

짐승도 너처럼 못 되게 굴지 않을 것이다. 에잇! 꼴도 보기 싫으니 썩 꺼지거라.

아… 아바… 마마!

바둥 바둥

에이 지지리도 못난 놈. 대체 누굴 닮아 저러는지…. 돌연 변이가 분명해.

그 후 나경언은 세자를 모함한 죄로 사형시키고, 동궁은 그를 조종한 사람을 잡아들였다.

*영성위의 것을 남김없이 태워 버려라.

이 사건은 필시 나를 미워하는 영의정 신만과 관련되어 있으니 그 아들 놈인 영성위를 잡아들여라.

*영성위 : 화협 옹주의 남편

뭐라고? 영성위를 잡아들이라는 명령을 내리셨다고?

그렇다 하옵니다.

아이고 머리야.

다행히도 몸은 피하셨지만, 물건들을 태우신답니다.

네 이놈들, 다음 번에도 못 잡아 오면 대신 너희가 다친다는 것을 명심해라.

마마, 제발 고정하소서. 대체 왜 이렇게 제 마음을 불편하게만 하십니까?

저리 비키시오. 나도 이제 모든 걸 포기했소. 아바마마께서 날 죽인다 해도 상관없소. 당장 윗대궐로 들어가겠소. (이판 사판 합이 육판이다.)

부들

부들

그 날 이후부터 동궁에 관한 이상한 소문이 온 대궐로 퍼져 나갔다.

어제 저녁 암살 계획이 있었다는구먼. 생각만 해도 끔찍해.

오늘 저녁 2차 습격이 있을 거라는 얘기도 들었소.

쓸데없는 소문들 지껄이다가, 괜히 주상 전하께서 아시면 어쩌려고 그러시오?

진짜인지 아닌지 잘 모르겠지만, 동궁께서 직접 지휘했다는 말도 들리더군요.

선희궁마마, 일이 이 지경이 되었으니 어쩌하면 좋을까요? 전 더 이상 어쩌해야 좋을지 모르겠습니다.

휴우우, 그러게 말이오. 주상 전하를 해치려 한다니…. 내 죄가 큰 것 같소.

내 비록 동궁의 어미지만, 동궁이 어떤 벌을 받더라도 그냥 볼 수밖에 없소. 허나 세손만은 구해 보도록 애쓰겠소.

우째 내게만 이런 일이…. 흐흑.

나라의 대를 이으려면 그 방법밖에 없소.

전하!
드릴 말씀이
있어
왔사옵니다.

동궁 일이라면
내 알아서
할 테니
돌아가시오.

병이 깊어 그렇게
되셨다는 것은
기억해 두시옵소서.
(애고, 심장 떨려.)

동궁이 하는 일은 나도
다 알고 있소. 나를 해치려는
음모를 꾸민다는 것도….
알고 싶지도 않았지만
알게 됐소.

한데
왜 그냥
두시죠?

전하의 *옥체를 보호하시고,
세손이라도 구하는 길은
동궁을 처벌하는 방법밖에
없습니다.

*옥체 : 임금의 몸

나 역시 동궁을 보면 화가
나서 참을 수가 없소.
하지만 병이 깊어 그런
것을 어찌 탓하리오?

동궁도 감히
나를 어찌지는
못할 테니
염려 마시오.

흑흑, 다 제
잘못이옵니다.
화완 옹주는 어찌
지내십니까?

화완 옹주야 남편을 잃어서 그렇지 무슨 문제가 있겠소?

하오나 그런 옹주를 동궁께서는 때리고 괴롭힌다고 하옵니다.

뭐라고? 화완이를 때려?

여봐라! 지금 당장 내가 동궁에게로 가겠다.

동궁, 기다려라. 내가 간다.

가엾은 내 아들, 미안하다.

까악 까악

더 이상 못 참아.
장난이 아니다.

네 이놈!!
네 죄를 네가
알렷다. 차마 입에
담기도 싫도다.

평생 절 미워하셨으니,
이제 부디 조용히
죽여 주소서.

여기 있는 이 검으로 나를
죽이려 했지? 내 손이
다 떨리는군. 저놈을 당장
뒤주에 처넣어라.

앙앙

뒤주라면
쌀궤짝?

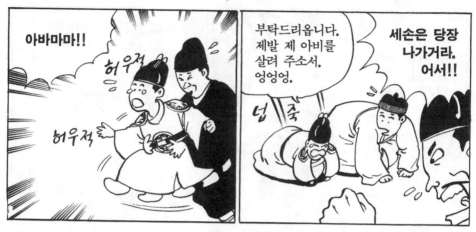

동궁이 뒤주에 갇힌 후, 혜경궁 홍씨는 세손을 데리고 친정으로 돌아왔다.

지아비를 잃고 내가 살아 무엇 하리.

지아비의 죽음을 막지 못할망정, 선희궁마마를 부추겨 도리어 죽게 했으니…

아아악! 아비를 살려 주소서.

저 어린 것을 두고 어찌… 흑흑, 아비를 잃은 것도 서러울 텐데 나까지 죽는다면… 흐흐흑.

아바마마

영조 37년, 동궁은 뒤주에 갇힌 지 8일째 되는 날 슬픈 운명을 마쳤다.
얼마 후 영조는 동궁이 모함을 받은 것을 알고 슬퍼하며,
'사도 세자'란 이름을 붙여 주었다.

아울러 다시 세손을 불러 복위시켰다.

전하,
저희 모자를
살려 주시니
성은이
망극하옵니다.

허허, 내가 너를 볼 낯이
없었는데, 네가 그렇게
생각하니 갸륵하도다.
(언제 봐도
훌륭한 며느리야.)

이제야
내 마음도
편해지는구나.

전하, 세손을
데려가셔서
곁에 두시고
가르쳐 주소서.

세손 없이
네가 견딜
수 있느냐?

제 마음이 섭섭한 것은
작은 일이오나, 전하를
모시고 배우는 것은
큰일입니다.

아비의 못 다한 도리를 하는 것이 옳고, 나라를 돌보는 것을 배우는 것이 중요하니 그리하여 주소서.

과연 빈궁은 훌륭하도다.

그러나 그 후 영조는 세손을 효장 세자의 양자로 삼고, 동궁으로 명했다.

흐흐흑, 아들과 헤어져 지내야 하다니…. (내 족보 돌리도!)

4.끊임없는 모함

영조 40년 7월에 선희궁마저도 세상을 뜨시니, 그 때부터 동궁을 향한 검은 음모가 시작되었다.

흥!
아바마마께선
나만 예뻐해야 돼.

넌 어떻게
그 얼굴로
궁녀가 됐니?

그러는 넌?
(질투하는
거지?)

이것들이

화완 옹주 듭시오.
(에이, 열 받는데
소리나 지르자.)

어서 들라
이르라.
(시끄러워.)

화통을 삶아
먹었냐? 너
반항하는 거냐?

그래,
왕 반항.

113

115

뜰에서는 정순 왕후의 오빠 김귀주와 화완 옹주의 양자 정후겸이 기다리고 있었다.

어서 오십시오. 동궁마마. 기다리고 있었습니다.

헤헤헤, 마마께 새로운 장난감을 보여 드리려고요. (딸랑, 전 영원한 종입니다.)

딸랑

딸랑

안녕하세요? 어, 근데 여긴 웬일들이죠?

자, 이것은 스케이트 보드라 부르는 것으로, 이렇게 한 발을···

탕 탕

아이고, 내 엉덩이.

탕 탕

에구구, 궁궐이··· 넓으니 이걸··· 타고 다니소서.

히야. 과연 당신은 충신이로군. 이런 신기한 장난감은 처음 보오.

동궁은 장난감에 금세 정신이 팔렸다.

과연 이 나라의 기둥감이로구먼. 잘 타시는데요.

애, 지금 뭔가 지나가지 않았니?

글… 글쎄? 뭐지?

끼아악! 우주인이다.

이～야호. 비켜라, 원더 키디 나가신다!

아니, 날으는 슈퍼보드다. 야호, 신난다.

까 악

이 무렵 영조는 병환이 깊어져 처소를 옮겼고, 이에 동궁과 혜경궁 홍씨의
사이도 자연히 멀어지게 되었다.

나말고 부왕의
총애를 받는 사람
있으면 나와 보라고 해.

그나저나 홍봉한이
내 아들의 청을
거절했다지?

영의정께 아뢰어
저를 수원 부사
시켜 주십시오.

이제 겨우 스무 살밖에
안 된 네가 오천 병마를
맡겠다고? 나라를 저버리는
일은 하지
않겠다.

옳지! 그러면 되겠구나.

동궁이 지금 어미와 떨어져 있으니, 기회가 좋아요. 흐흐흐.

동궁만 손에 넣으면 세상 모든 것이 내 것이로다.

내 집이 아무렴 홍가 놈보다 못할까 봐서! 흥.

저… 저기, 스케이트 보드가 부… 부서져서….

아니, 다친 데는 없어요?

동궁마마 듭시오.

고모님, 저 왔어요. 안녕하시어요?

자, 이제 옷을 갈아입으셔야죠. 그것을 탈 때는 항상 이 옷을 입으십시오.

엑, 왜 그래요?

하하, 이건 최신 유행하는 패션이옵니다. 마마, 멋질 겁니다.

우 당 탕

동궁은 어찌 지내고 계실꼬? 글 공부는 하고 계시겠지?

문안은 잘 올리고 계신지….

그리 염려되면 한번 다녀 오시지요?

그래도… 될까? (애교스럽게.)

어미가 아들을 보는데 누가 말리겠습니까?

그것이 정답이네. 어서 가 보자.

저리 좋으실까?

폴 짝

좋지 못한
사람들과
춤·노래까지
즐기시고,

We are the
world

돌려 보고자
했던
것입니다.

아니! 그렇게
깊은 뜻이

그들이 주는
칼을 가지고
놀기에,
동궁의
마음을···

지난날 오라버니께서도
그렇게 슬슬 시작하시지
않았습니까?

물 종 채 ㅣ

아이고 데이고,
전하께서 또 이걸 아시는
날이면···
어떻게 이런 일이···

아니! 그렇게
엉청난 일이

G·R

미안··· 하오.
내가 오해를 했나 보오.
그런 줄도 모르고···
(자식 때문에 왕 무안함.)

내 속히 이 일을 처리할 테니, 조용히 해 주시오.

히히히, 1단계 성공!

이런 동궁의 생활이 영조의 귀에 들어가게 되었다.

뭐가 어째?

필시 착한 동궁이 나쁜 무리들의 유혹에 빠진 거야.

이상하다. 소식이 올 때가 됐는데….

킥킥킥, 금오신화 진짜 재밌다. 이런 건 우수 도서상을 받아야 돼.

왔구나~

여기 편지님 가신다아!

화완 옹주는 *효의 왕후와 정조 사이도
이간질 시켰다.

*효의 왕후 : 정조의 아내

우와, 이건 또 뭐죠?

역시 자기가 제일이야.

당신도 같이 먹읍시다. 맛이 기가 막혀.

냠 냠

쩝 쩝

저는 지금 다이어트 하는 중이라 아니 되옵니다.

화완 옹주 듭시오.

고모님.

치이 그 새를 못 참고….

어서 오세요. 마침 식사 중이었습니다.

아니, 이런… 해괴한 일이….

고모님, 왜 그렇게 놀라십니까? 깜짝 놀랐습니다.

아니 이런 음식을 동궁께 드리다니…. 김밥은 옆구리 터지라는 것이오,

닭 날개는 바람 피우라는 얘기요, 돈가스는 방귀나 뀌라는 것이오, 짬뽕은…. 어쩌구저쩌구. (헥헥, 외우기도 힘드네.)

126

아니, 그게
사실이오?
말해 보시오.
아닙니다.

그런 게
아니라,
제가 평소
즐기던
음식….

다시는
내 앞에
오지 마.

너무 화내지
마세요. 밖에
방송국에서
왔다니까
구경이나
가지요.

우아아앙!
오해입니다.
마마, 억울합니다.

촬영 구경이나
합시다.

째쟁

째쟁

탄다! 더워!

액촬영장

아니, 저건
그 유명한
최진슬 아냐?

용자랑 바느질할 사람 없어요?

오라이~.

에그머니, 누구니?

푸하하, 장안평 왕바늘이다.

이랏차!

오늘 바느질 게임의 승자는 동궁마마입니다. 축하합니다.

세손

영자

세손

세손

심사

게임에서 진 용자는 분함을 이기지 못해, 거미로 환생했는데…

한편 궁궐 밖에서는 김귀주가 온갖 소문을 퍼뜨리고 다녔다.

으음, 오늘은
이 동네
주막에서
좀 쉬었다
갈까?

애고,
다리야.

동궁이 이상한
행동만 골라서
한다며?

게다가 자기
외조부와
사이도
안 좋대.

근데 홍가를
꼬시면 벼슬도
준다고 하더라.

거기에
비하면
귀주 어른은
진짜 착해.

아, 어제는 소년 가장을
위해 백 냥을
기부했다는구먼.

그래.

쿡쿡쿡,
계획대로
잘 돼 가는군.

!!

어디 그뿐인가? 연말에는 동네 거지들에게 푸짐한 식사를 대접했다는군.

불우한 이웃을 도웁시다

딸랑 딸랑

김귀주는 우리의 왕초.

소말리아에 가서 김해자 언니와 CF도 찍었다고 해.

저… 저기요, 해자 언니랑 소를 말려서 광고도 하고….

저리 못 가!

저런 멍청한 놈.

궁궐에서도 수입 개방 반대에 적극 앞장 서고 있다고 하던데….

우리 것이 좋은 것이여! 얼씨구.

수입 쌀을 먹느니 차라리 죽음을 택하겠다.

물러가라! 물러가라!

그렇다면 나도 귀주 어른을 찾아가 봐야지.

이 건달을 보면, 불쌍해서 벼슬자리 하나 주겠지.

빨리 가서 알리자.

험, 네 뜻이 정 그렇다면 이렇게 해 보거라.

실은 여차저차해서… 홍봉한… 역적… 상소를….

내가 시킨 대로만 하면 넌 틀림없이 유명하게 될 거야.

고맙습니다. 그럼… 전 이만 물러가겠습니다.

이런 당돌한
놈을 봤나?
감히 이런
상소를?

여봐라, 지금 당장
한유란 놈을 잡아들여
귀양 보내거라.

그리고
영의정 홍봉한은
실수를 하였으니,

벼슬을
삭감하도록
하여라.

에게,
겨우
고거야?

너무해. 내가
무슨 죄가
있다고···.
대체 누구야?

134

틀림없어. 저 귀주 놈이 나를 모함하려고 상소를 올린 게야.

뭘 봐? 그러니까 이제부터 까불지 마.

부르르

아버님, 대체 어떻게 된 것입니까?

무슨 죄로 삭감이랍니까?

그러게 말입니다. 전 억울할 뿐입니다.

주상 전하께서 어찌 모함이란 걸 모른단 말입니까? 아버님의 본뜻을 왜⋯. 흑흑.

그래도 큰 벌은 아니니 너무 걱정 마소서. 곧 잘 되겠죠.

흑흑

에잇! 대체 어떻게 모함해야 홍봉한을 죽일 수 있지? 고민이로다.

헤헤헤, 귀주 어르신. 제게 좋은 아이디어가 있사옵니다.

그… 그래? 후겸아, 어서 말해 보거라.

살랑 살랑

그… 그게 맨입으로는 좀 어렵고요….

이놈! 이게 뭔지 아느냐? 오물이다, 오물.

끼얹기 전에 냉큼 말하지 못할까? 하나, 두울….

흐음,
꽤 준비를
했나 보구나.

자, 차트에
주목하세요.

척

홍봉한이 사도 세자의
서자인 은언군과
운진군을,

아주 귀여워하여
직접 데려다가
공부도 가르치고,
(졸지 말고
잘 들을 것이지.)

홍봉한 소탕 작전

사도세자

하늘 천 따라지

봉아비

1. _____
2. _____

지난 정월에는
군주들에게만 주는
밤을 그 애들에게까지
주었던 일이
있었습니다.

그 일을 안
주상 전하께서
노하셨으니….

엣다! 이거나
먹어라!

봉아비

은언

은진

137

이 일을 살짝 부풀려 홍봉한이 사도 세자를 미워하여

새 왕손을 올리려는 계략을 꾸민 것이라 여쭈면 아마 주상 전하께서도…

노발

대발

뎅 강

오～호!! 쓸 만한데….

실룩

실룩

이상 후겸이의 강의를 마치겠습니다.

기가 막히군!

꾸벅

홍봉한 산탕작전

지은이 쇼파리

그럼 실행에 옮길까요?

푸하하! 당연하제 이요!

그럼 내 다녀올 테니 건투를 빌어 다오.

138

139

청주로 귀양 가는 홍봉한

치사한 녀석들, 두고 보자.

잘가 오빠! 다시는오지마!!

아이고

그러나 곧 이 일이 모함이라는 것이 밝혀져, 영조는 귀양 명령을 풀었다.

한 영

으이그, 이게 니 머리의 한계야.

아야!

*양척리간에도 서로 싸우고 헐뜯으니 쌓이는 게 근심이로다. 어찌하면 좋을꼬?

왕 걱정, 왕 고민.

*양척리 : 임금의 친척

한편 귀양에서 풀려난 한유는…

이리 오너라, 한유가 왔다고 당장 전해라.

쾅

쾅

아니, 이게 누군가? 이 시대의 마지막 액션 히어로 아닌가?

뭐야? 얼굴이 왜 저렇게 됐지?

비실

비실

안… 안녕들 하시었습니까? 나에게 무… 물 좀 주시오.

쿠당

쯧쯧, 그 동안 얼마나 먹질 못했으면 얼굴이 그리 됐나?

이제 한결 낫구먼. 많이 먹게나.

우걱

우걱

141

지난번에 홍봉한의 세력이 너무 커서 어쩔 수 없었네. 하지만 지금은 그렇지 않다네.

새로운 세상이 올 조짐이 보인단 말이야, 이 사람아. 자네가 풀려난 것만 봐도 알 수 있지 않나.

그러니 지금 또 상소를 올리면,

출세의 지름길을 걷게 되는 거지. ㅎㅎㅎ.

주물럭

주물럭

으음… 새로운 세상이라…. 게다가 출세까지….

와

우두둑

좋아브러요. 까짓 거 두 번 못할 것도 없지요.

확실히 출세할 수는 있죠?

물론이 라니까.

우와, 멋있다.

정말 잘 어울려요? 히히히.

캬, 큰 인물처럼 보이네.

자, 이것이 상소문이오.

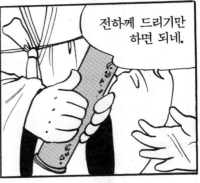

전하께 드리기만 하면 되네.

이기고 와라잉.

잘 되야 될 텐데….

내 크게 한턱낼게.

허허, 네 놈은 그 때 귀양 보냈던 놈이 아니더냐?

아, 일단 그걸 읽어 보고 말씀하세요.

이… 이런 뒤… 뒤주 문제를?

내 이 일을 잊으려 애쓰고 지냈건만….

꿈틀

전하, 왜 그러세요? 우아, 헐크로 변신하나 봐.

꿈틀

꿈틀

크르르르….

꺄아악! 킹콩이다. 전하가 킹콩으로 변했다.

무서워, 피하자!

크아아앙! 워어어우어 우아아! (저 놈을 사형에 처하고,)

와 우어어 우아! (또 상소에 거론된 홍봉한의 관직을 빼앗고 일반 백성으로 만들어 버려라.) 커어어엉.

그 날 영조의 노여움은 대단히 컸다. 이 소식을 들은 혜경궁 홍씨는…

그토록 노하셨으니, 아버님을 어찌 구하지?

그래, 화완에게 부탁해 보자.

혜경궁 홍씨는 화완 옹주의 환심을 사기 위해 극진히 대접했다.

나 어때요?

샤론 수톤이 따로 없습니다. 근사하옵니다. (우에엑.)

이에 화완 옹주의 마음이 금세 변하였다.

에 그어머니...

두근 두근

호호, 남편을 잃고 난 후 이렇게 기쁜 적이 없었는데….

여자의 마음은 갈대라~

아바마마, 홍봉한의 일은 아무래도 모함인 것 같습니다.

그렇지? 나도 그래.

역시 내 딸은 얼굴뿐 아니라 마음씨도 참 고운 것 같애.

얼마 후, 홍봉한은 다시 궁궐로 들어오게 되었다.

에~롱

우와, 고무줄보다 더 질기네.

화완이 나를 배신할 줄이야. 에고, 분해.

웨엑

웨엑

에이 디리라

에이잉, 아무래도 안 되겠다.

내가 직접 나서는 수밖에….

쉬이

이이

털털

미행을 하면 꼬투리 잡을 게 있을 거야. 키가 작다고 상소를 올릴까?

아니면 걸음걸이가 팔자라고 올릴까?

에헴

아니
웬 약방?

휴, *나삼이
얼마 남지
않았군.

나중에는
*공삼만 쓰게
생겼군.

*나삼 : 성분이 좋아 약재로 쓰는 삼   *공삼 : 평안 북도 강계 지방에서 공물로 바친 삼

여보게, 이제부터
나삼과 공삼을 반반씩
섞어서 달이도록 하게.
공삼만 달이는
것보다는
나을 걸세.

예, 그렇게
하지요.

이것을 상소하면
킬킬킬.
짜아식, 넌 이제
끝장이다.

엥?
저건
혜빈?

이젠 내 동생인 중전까지 꼬시려는 모양이지. 요망한 것.

떠벅 떠벅

쓱

동궁께서 *추숭하실까 하기에 그리 말라고 하였습니다.

오잉? 잘 걸렸다.

옳거니! 이것도 함께 써서 올려야지.

콕 콕 콕

*추숭 : 죽은 동궁에게 제왕의 호칭을 붙이는 것을 말함

푸하하하! 과연 명필이로다. 게다가 이 뛰어난 문장력! 내가 봐도 훌륭해.

이히히, 홍봉한.
넌 이제
파리 목숨보다
더 하찮아졌어.

얼라리오.
어찌 이런
얘기를?

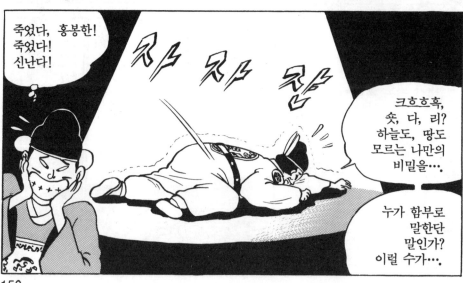

죽었다, 홍봉한!
죽었다!
신난다!

크흐흐흑,
숏, 다, 리?
하늘도, 땅도
모르는 나만의
비밀을…

누가 함부로
말한단
말인가?
이럴 수가….

150

*육단 부형 : 위통을 벗고 등에 몽둥이를 진 후, 때려 달라며 사죄하는 벌

5. 간신과 새 임금

영조 49년 홍봉한의 회갑

꾸울꺽. 치르릅.

허어, 내 어찌 돌아가신 어머님을 잊고 이 상을 받겠느냐?

어서 도로 물리거라.

그게 사실이냐? 과연 거룩한 효심이로구나.

여봐라, 홍봉한을 위하여 큰 잔치를 베풀어 주도록 하여라.

이 무렵 홍국영이라는 사람이 과거에 급제하여, 동궁에게 글공부를
가르치는 선생님이 되었다.

자, *아복기포에 불찰노기라. 이것은 무슨 뜻입니까? (모르지?)

내 배가 이미 부르니, 종의 배고픔을 살피지 않는다. (나 똑 소리 나지?)

아복기포 불찰노기

*아복기포에 불찰노기 : 我腹旣飽에 不察奴飢

바꿔 말하면, 임금은 신하의 고충도 살필 줄 알아야 한다는 뜻이 숨어 있지요.

아복 불찰

랄 랄라라!

으음~, 과연 그렇군. 중요한 대목이니 밑줄 쫙~.

랄랄라라!

허면 *시강관의 고충은 무언지 내게 말해 보아라.

어머머, 눈치도 정말 빠르셔. 어린 것이….

*시강관 : 임금에게 경서를 강의하던 벼슬

이렇게 곁에서 마마를 모시니 오직 기쁠 뿐이옵니다. (고충은 웬 고충!)

그게 정말이오? 계속 내 곁에 머물러 있겠다는 것이?

딸랑

딸랑

에고, 아부의 길은 멀고도 험해. 천하의 이 홍국영이 시강관 노릇이나 할 순 없잖아. 하지만 일단은 아부를 해야 해.

정말 신난다.

이 한몸 바쳐서라도 평생 동안 마마를 모시겠습니다.

넙죽

진짜 아부 하나는 잘 떠네. 킬킬킬.

154

과연 너는 충신 넘버 원이로다. 따봉!

어험

큭큭큭, 저렇게 멍청한 녀석이 이 나라 왕이 된다니 한심하군.

허허, 그래 오늘은 무슨 글을 배웠는고? 한번 들어나 보자꾸나.

예, 옛 속담에 나와 있는 선인들의 지혜와 교훈을 배웠사옵니다. (시키지 마세요.)

그래서 무엇을 느꼈는지 말해 보아라.

예. (휴우, 다행이다.)

어험

어진 임금은 백성의 고충을 헤아릴 줄 알아야 함을 알았습니다.

하하하하! 동궁의 학식이 날로 깊어 감은 그대의 공이 크기 때문이오.

별 말씀을…. 동궁마마께서 총명하기 때문이지요.

언제 봐도 귀여운 것들. 나이도 비슷한 것이 둘 다 내 손자 같구나.

성은이 망극하옵니다. 전하.

내 그대의 공을 잊지 않을 것인즉, 오늘은 이만 물러가 쉬도록 하여라.

예이, 그럼 소인은 이만 물러가겠습니다.

이렇게 홍국영은 영조와 동궁에게 인정받기 시작했다.

히히히!

이렇게 기쁠
수가…. 드디어
때가 온 거야.

헤벌레

한 나라의 임금과
동궁이 저토록
물러서야….

애들아,
내가 왔다.

이제 세상은 모두
내 손 안에 있단다.

애고,
심장이야.

애들아, 내가 몹시
시장하니 푸짐하게
한 상 차려 오너라.

어쭈구리!

홍국영이를 대체 뭘로 보는 거야? 내가 장국영인 줄 아니?

임금의 총애를 받는 내게 어떻게 이럴 수 있나?

쾅!

수라상을 차려 오란 말이야. 어이쿠, 엉덩이야.

쿠당탕

쯧쯧, 저런다고 임금 되나?

나이 삼 십도 안 되서 노망이 났나? 그거 쌤통이다.

그래그래. 진작 그럴 것이지.

애들아, 너희들도 여기 와서 앉거라.

얌얌

쩝쩝

웬일?

158

159

옛다, 이거나 먹어라.
나 같으면 그러고
안 산다, 안 살아.

우왓! 내가
먼저 잡았다.

우당탕

동네 사람들!
여기 좀 보쇼. 와서 거지
구경 좀 하시오.
하하하.

으앙! 엄마
나 하인 안 할래.
치사해.

떼굴
떼굴

이 정도면 배는 채웠고, 슬슬 산책이나 가 볼까? 룰루~랄라.

옳지, 저 곳이 좋겠군.

글쎄 홍국영이라는 작자가 흉악한 짓을 하고 다닌다더군.

아주 불한당 같은 놈이래.

그리고 궁궐 안에서는 못생겨 가지고 잘난 척만 한다더군.

여러 대신들을 욕하고 임금께도 버릇없이 구는 놈.

이처럼 홍국영은 동궁의 힘을 빌어 자신을 욕하는 자들을 처벌했다.

어명이니 매우 쳐라!

철퍼덕 철퍼덕

더 세게! 한 번 더!!

크흐흐, 나를 욕하는 자에겐 대포를 쏘겠다.

크릭 크릭

자, 받아라.

한편 홍봉한의 동생 홍인한은, 영의정 벼슬에 올랐다.

나도 벼슬 있다. 꼬꼬댁.

영의정 어른께 말씀을 잘 드려 제 아버지에게 벼슬자리 하나만 주십시오.

내가 부탁드려 볼 테니, 가서 기다리시오.

집 앞에서 버티고 있던 홍국영

영의정께서 보낸 답장이지? 이리 내 봐.

야, 그거 보면 안 돼. 나 혼난단 말이야.

그런 미친 사람에게 벼슬을 왜 줍니까? 못하겠나이다.

으아아악! 같은 홍씨끼리 이럴 수가! 두고 보자.

그즈음 영조는 병환이 깊어져 정신이 온전치 못했다.

주상 전하 납시오.

제발 오늘도 무사히….

에고, 오늘은 또 무슨 일이 일어날지 불안해 죽겠군.

콜록콜록!
(감기 조심하세요.)
캬~아~악.
퉤!

에구구, 깨끗이 청소해 놨는데….

기침 소리를 들으니 머지않으셨군. 여러분도 감기 조심하시오.

에잉! 오늘 할 일은 무엇이오? 훌쩌럭. 기침, 콧물, 두통…. 완전 종합 감기로군.

방화동에 사는 종순이가 상소를 올렸습니다.

으이그!

내가 이렇게 늙었는데,
동궁은 나라일을 아는가?
정치라는 것을 아는가?
노·소론이란 것을 아는가?
영의정 말해 보시오.

야, 넌 아냐?
헷갈려서
모르겠어.

저것도 설마
헛소리는 아니겠지?
나를 시험하는
걸 거야.

동궁께서 그걸
알아 무엇
하오리까?

뭣이?

이… 이놈이…. 내가 이리 늙고
지쳐서 동궁에게 대리를
시키려 하거늘, 네 어찌 그런
망발을 하는가?

전… 전하.
죽을 죄를
지었습니다.
(분위기 파악하기도
힘들다.)

이 일을 계기로, 홍국영을 비롯해 많은 사람들이 역모를 꾸몄다.

전하께서 저러신데, 동궁의 대리를 반대하는 건 이상하오.

동궁께서 나라를 맡게 되는 것이 두려운가 보오.

아마도 그 놈은 대리를 막아 자기가 권세를 부리려 했던 것이 틀림없습니다.

영의정을 역적으로 몰아 사형에 처합시다.

이… 이 일을 어찌할꼬?

전하께서 금하시는 노·소론을 동궁이 안다고 하면 노하실 게 분명하고,

뭐라끈!

세손이 편론을!

자신이 늙었다고 무시하고
젊은 동궁과 놀려 한다고
의심할 것도 같고,

감히 나를 버리고
동궁에게 붙었겠다!

지난날 동궁의 부탁도
있었기에…

영상! 할바마마 앞에서
지나치게 나를
칭찬하지 마세요

그러지
뭐!

그리 말했던
것인데…
흐흑, 억울해.

하필이면 그 때
제정신으로 돌아와
있을 게 뭐람.
애고, 내 팔자야.

여러 대신들의 상소가 빗발쳤다.

그 때 영조는 재위한 지 52년 만에 그만 세상을 뜨고 말았다.

그리고 1777년, 동궁이 왕위에 올라 정조가 되었다.

야호!

사라비아!

사라비아!

소론놈들, 두고 보자.

내가 오늘을 보려고 모진 목숨 보전하였는데, 왜 이리 눈물이….

어머님, 이제 소자가 어머님을 행복하게 해 드리겠습니다.

눈물 없이는 못 보겠다.

얼마 후 대신들의 상소에 자꾸 거론되는 홍인한에게 처벌을 내렸다.

대신들의 뜻이 그러한즉, 영의정 홍인한에게 사형을 명하노라.

짝 짝 짝

탕 탕

그 후 죄인 집안으로 몰리게 된 홍봉한의 식구들은, 고향으로 떠나갔다.

아이고!

아이고!

이 소식을 들은 혜경궁 홍씨는 날마다 눈물로 지냈다.

아이고, 차마 눈 뜨고는 못 보겠다.

어느덧 시간이 흐르고 흘러…

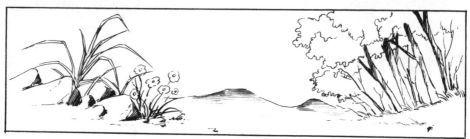

마마,
아버님께서
오셨사옵니다.

아버님께서?
어서 안으로
뫼셔라.

아버님,
그 동안 어찌
지내셨습니까?

시골에서
좋은 공기
마시고
잘 지내고
있었습니다.

한데 얼굴이 왜 그리 수척해지셨습니까?

요새 다이어트가 유행이라서 저도 한번….

으흐흐흑! 아버님 저 때문에 이 고생을….

고생은요? 이렇게 건강한데….

호호호!

하하하!

훌쩍

세세세

훌쩍

궁궐 안의 법이 엄하니, 그만 물러가 보겠습니다.

아버님, 이제 가시면 언제 다시 보게 될지요…. 흐흐흐흑.

그리고 얼마 지나지 않아, 혜경궁 홍씨의 아버지 홍봉한은
세상을 떠나고 말았다.

아이고

아이고

아이고 데이고.
아버님이 돌아가시다니
이게 웬 말이냐!
이 한을 어찌 다
푼단 말이냐?

아이고

아이고

흑흑, 어머님.
고정하십시오.
(날 꽤 아껴 주시던
외조부님이셨는데….)

흐흐흑!
온갖 모함과 억울함을
가슴에 품으신 채로
욕되게 돌아가셨으니,

나중에 저승 가서
어찌 아버님을
뵌단 말입니까?
아버어님!

제발 고정하소서.
소자가 반드시
외조부님의 원한을
풀어 드릴
것이옵니다.

176

그게 정말이오?
진정 이 어미의
한을 풀어 주겠소?
(거짓말 아니지?)

물론이옵니다.
제가 아니면
그 누가
하겠습니까?

정말정말
고맙소.
엉엉.

어머님.
이제 마음
놓으십시오.

와락

한편 정조의 총애를 받던 홍국영의 벼슬은 날로 높아만 갔다.

오문대장

훈련대장

숙위대장

수어사

도승지

너 그렇게
하늘 높은 줄
모르다가
똑 떨어진다!

또 김종수란 것을 아들로 삼아, 갖은 못된 짓을 일삼았다.

177

이렇게 야외로 나오니 기분이 좋구나. 한데 전하께서 아직 아들이 없어 문제야. 누이동생을 후궁으로 맞이하면 좋을 텐데….

그러면 우리는 *척리가 되겠군요.

*척리 : 임금의 친척

그렇지, 넌 너무 똑똑해.

역시 우리 부자는 명콤비라니까.

며칠 후 홍국영은 누이동생을 데리고 궁궐로 들어갔다.

이리하여 홍국영의 누이동생은 정조의 후궁 원빈이 되었다.

오빠, 정말 여기서 살아도 되는 거야?

우하하핫! 신난다.

뭐야? 중전이 있는데도 원(元 : 으뜸)이라 부른다고?

이… 이런 무엄한 것이 있나?

그뿐이 아니옵니다. 중전마마께서 병이 있다고 소문을 내어, 전하와의 사이를 갈라 놓고 있다 하옵니다.

저런 발칙한…. 씩씩!

콩

전하께서 마음이 여리시니, 어찌 그것들의 계략을 알겠느냐?

내 지금 전하를 뵈러 가야겠다.

우하하하. 아이고 배야. 그만 웃겨라.

또 있사옵니다. 기상청 일기 예보과 대신들이 체육 대회를 열었는데,

해마다 비가 온다지 뭡니까? 깔깔깔, 호호호.

푸하하. 일기 예보과 체육 대회에 웬 비?

심지어 중전이 병에 걸렸다는 소문까지….

게다가 원빈이라는 이름은 중전과 전하를 모독하는 말입니다.

부디 대를 이을 생각을 하십시오. (까불면 알지?)

그… 그렇지만 저는 원빈과 노는 게 더 재미있습니다.

왜 이렇게 말을 안 듣습니까? (매 맞을래?)

으이그. (부전자전.)

무안

그러나 원빈은 1년도 안 되어 세상을 떠나고 말았다.

이에 홍국영은 끓어오르는 분을 참지 못하고, 중전을 모시는 신하들을 여럿 죽였다.

게다가 정조를 충돌질하기 시작했다.

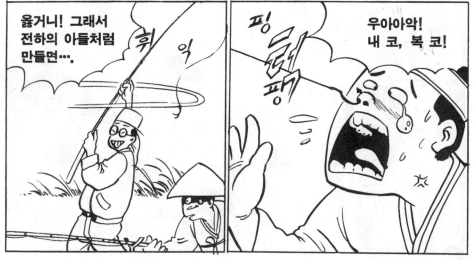

이리하여 홍국영은 은언군의 아들 담을 데려와,
정조의 아들로 만들어 동궁처럼 대우하였다.

제 누이의
아들이니
전하의 아들이나
다름없습니다.
(그렇다고
말해 봐.)

딸랑   딸랑

갑자기 무슨
소리를 하는
거야?

전하, 천하에 어찌
이런 일이 있을
수 있습니까?

전하의 춘추 삼십이
다 되어 대를 빨리
이어야 하거늘,

전하의 혈육이
아닌 것을
데려다 놓고,
딴전을 피우고
계시니,

헤헤

천하의 저런 역적을
어찌 그냥 보고만
계십니까?

그… 그렇군.
어쩐지 좀
이상하다 했어.

꿀꺽

188

어머님, 이제야 홍국영의 계략을 깨달았습니다. 죄송합니다.

글적 글적

그러면 이제 저 자를 처벌하시오.

살려 주세요 전하!

파닥

파닥

여봐라, 저 역적 놈을 강릉으로 귀양 보내거라.

이리하여 귀양 간 홍국영은 거기서 미쳐 날뛰다가, 스스로 죽고 말았다.

파 드 드 등

6. 하늘아 하늘아

슬프고 슬프도다. 아직도 아버님의 한을 풀어 드리지 못하고 있다니,

아, 내 마음도 아프도다. 무엇으로 어머님의 마음을 즐겁게 해 드리지?

어머님께서 저토록 슬퍼 하시다니…

대신들은 들으시오. 외조부께서 외손자인 나를 두고, 다른 왕손을 모시려 했다는 것은 모함이 분명하오.

또한 외조부께서 아버지가 아닌 새 왕손을 들이려 했다는 것도 모함이오. 그러니 예전의 그 상소는 모두 거짓이오.

또한 외삼촌의 아들 홍수영에게도 벼슬을 주려 하는데 불만 있소?

짝 짝 짝

고맙소. 내 이제 죽어도 여한이 없소.

뭘요.

그래서 짐은 오늘부터 외조부를 모함한 무리를 찾을 것이오.

다만 작은아버지의 죄만이 망극할 따름입니다.

그분께서 역적의 뜻이 있다하함은 지나치니, 내 차차 그 일도 풀어 드리겠습니다.

정말 그렇게 해 주겠소? 고맙소. 너무 기뻐 몸둘 바를 모르겠습니다.

부끄럽습니다. 부디 걱정 마시고 남은 여생 편히 지내십시오.

전하, 땡큐!

그 후 정조 11년에 후궁 가순궁을 들였고,

정조 13년에 순조가 태어났다.

어쩌면 생일이 나와 똑같을꼬? 신기하도다.

어머님께서 지성으로 빌어 주신 덕분입니다. 하하하.

이 나라의 기틀도 튼튼해지고,
전하의 효성도 지극하시니
내 죽어도 행복하겠소이다.

어머님, 소자 꼭 드리고
싶은 말이 있습니다.

아바마마의 한이
가슴에 사무치니,
*원소를 옮겨 정성을
다하고자 합니다.

오! 전하, 이리도
기특할 수가….

*원소 : 무덤

이리하여 사도 세자의 원소를 수원으로 옮겨 이름을 '현륭'이라 고쳤다.

그리고 혜경궁 홍씨와 함께 *원행에 올랐다.

*원행 : 성묘

아바마마! 소자 왔습니다. 아바마마!

으흐흐흑. 아바마마,

이 불효자를 용서하소서.

전하, 고정하십시오. 흑흑.

크흐흐흑. 아바마마! 뵐 면목이 없습니다.

아버님께서도 지하에서
흐뭇해 하실 것이옵니다.
이제 그만 가시지요.

아바마마!!

다음 날 정조는 혜경궁 홍씨를 위해 친척뿐 아니라,
많은 사람들을 초대해 큰 잔치를 벌였다.

덩 덩 ♫

내가 살아서
이런 날이
있을 줄이야….

덩 더 꿍

정조 15년, 외조부 홍봉한이 올렸던 상소들을 모아 '주고'라는 책을 편찬하였다.

으아함! 이제 외조부의 공을 갚게 되었으니 외손자 될 자격 있지?

참으로 훌륭하십니다.

제가 뭘… 외삼촌이 고생을…. 아이쿠.

허허.

이제 간행만 하면 아무도 외조부의 충성을 의심하지 못할 것이니, 시호도 충(忠)자로 고칠 생각입니다.

성은이 망극할 따름입니다.

196

그리고 외삼촌의 글도 길이 전할 만하니, 따로 문집을 내려고 합니다.

허허허! 소인이 무슨 재주가 있다고….

내가 왜 이러지? 으으, 너무 어지러워.

쿠 당

전… 전하! 제발 침착하게 움직이소서.

그러나 정조는 젊은 나이에 일찍 세상을 떠나고 말았다.

전 하

전하, 이 어미를 두고 먼저 가시다니요? 우째 이런 일이?

엉 엉

으아앙, 난 이제 어떡하라구.

마마, 임금이 안 계셔 민심까지도 흉흉합니다. 어서 책을 마저 내놓는 것이 좋을 듯합니다.

나도 그렇게 생각하고 있었네. 원초본을 내 주어 속히 진행시키도록 하게.

그러나 책이 발간되기도 전에, 홍봉한에 대한 상소문이 빗발치기 시작했다.

역적 집안 물러가라!

물러 가라!

탄도하자! 역적집안!

역적의 자손을 때려 (바다로 끌다근 빠지면 죽으리 머표)

마마, 계속해서 상소가 올라오고 있습니다. 이러다 어찌될지…

뭣이? 상소가?

벌 떡

마마의 동생인 홍낙임을 당장 내쫓으라는 상소가 시도 때도 없이 들어오고 있답니다.

또한 그 집안 사람들을 *종척 집사를 시키려 한다고 하옵니다.

*종척 집사 : 국상 때 임금의 친척에게 시키던 임시 벼슬

내 아무리 의지할 곳 없다 해도, *선왕의 어미인데 어찌 그런 짓을 한단 말이냐?

*선왕 : 정조를 가리킴

어서 의대를 가져오너라. 내 이것들을 그냥….

와 와

혜경궁 홍씨는 북받치는 슬픔을
억누를 수가 없었다.

선왕이 계신
곳에 가서
속시원하게
울어나 볼까?

흐흐흑… 전하!
(아이고,
무릎이야.)

나는 폐인이니
아무도 문안 들지
말게 하라.
흐흐흑.

마마,
몸에 해롭습니다.
진정하십시오.

전하, 제가 전하를 잃고
어찌 이 목숨을 이어
나가리오? 내 여기서
차라리 자결을
하겠습니다.
흐흐흑.

혜경궁마마!
정신
차리십시오.

대왕 대비전

마마, 혜경궁마마께옵서 자결을 하려다 쓰러지셨답니다.

뭐라고? 마마께서?

흥, 그렇게 하면 역적의 죄를 덮어 줄 줄 알고? 어림없지.

네 이놈, 네 죄를 알렸다.

왜 이러십니까? 전 아무 죄도 없사옵니다.

203

이에 어린 순조와 가순궁이 대비전 앞에 거적을 깔고 하소연하였다.

*언교 : 한글로 쓴 왕후의 교서

그러나 대신들의 회의는 계속되었다.

역적은 일찌감치 없애야 하오.

또한 그 자는 정조 임금의 서자만 위했습니다.

그러니 결론은 하나요. 죽이시오.

사도 세자를 왕으로 추대하려고 했다!

서양 귀신을 믿는 천주교에도 몸담았다고 하더라!

급기야 혜경궁 홍씨의 동생 홍낙임은 죽임을 당하고 말았다.

하늘아! 하늘아!
천지간에 나 같은 사람이 어디 있으랴?
어려서 궁궐에 들어와 지아비를 잃고 작은아버지와 동생마저
모함으로 죽임을 당했는데,
이제 또 하나뿐인 아들을 잃고,
아버지께선 역적의 우두머리에 올라 있으니,
내 더 이상 살고 싶지 않으나, 어린 주상 전하(순조)의 효성에 맡겨
이 글을 써서 전하니, 이 할미의 지극한 원한을 풀어 줄 것을
어린 주상 전하께 기약해 보노라!

1994년 6월10일 1판1쇄 발행
1995년 2월25일 1판2쇄 발행

원작 / 혜경궁 홍씨
구성 · 그림 / 한규룡
펴낸이 / 나춘호
펴낸곳 / 능 인

등록 / 제4-157호(1991.12.13)
주소 / 서울특별시 성동구 용답동 233-5
전화 / 242-2231 · 팩스 / 242-3771

© 1994 Neungin Publishing Co.

ISBN 89-410-1016-0 77810

우리 고전 **9**

한중록